まちごとチャイナ
江蘇省 011

雨花台と南京郊外・開発区
長江ほとり広がる「田園都市」
［モノクロノートブック版］

JN122283

雨花台や紫金山、牛首山、棲霞山といった豊かな緑地におお
われ、花園都市にもたとえられる南京。3〜6世紀、六朝貴族
や官吏は南京郊外の山水に親しみ、晩唐の杜牧は『江南春』
で「南朝四百八十寺、多少の楼台烟雨の中」と南京の自然や
仏教寺院を詠んでいる。

　市井から離れて修行に励む仏僧のための寺院、南京郊
外の地形を利用して築かれた皇帝の陵墓群。南京市街はた
び重なる戦乱の被害を受けたことから、南朝以来の伝統は、

郊外の棲霞寺や陵墓の石獣などでわずかに残っている。

　こうした田園風景を残す南京郊外には、20世紀末からの経済発展を受けて、次々と開発区がおかれるようになった。高速鉄道が上海と南京南駅のあいだを往来し、長江にかかるいくつもの橋、長江の底をつらぬくトンネルや地下鉄など、南京郊外の都市化も進んでいる。

乾隆御題詩

閱乳竇靈臺
澡白底泉
梵業鑴碑
尚隋代淨
因捨宅為
賢更誰鑒
壁启紗帽
江怨平原
言采雉
御題

清乾隆帝六下江南，五次駐蹕青

『アジア城市(まち)案内』制作委員会
まちごとパブリッシング

| まちごとチャイナ | 江蘇省 011 |

雨花台と
南京郊外開発区

長江ほとり広がる「田園都市」

Asia City Guide Production
Jiangsu 011
Around Nanjing

南京郊区／nán jīng jiāo qū／ナンジンジィアオチュウ

Contents

山水彩る江蘇省省都

江蘇省省都の南京は
中国でも有数の自然にめぐまれた都市
郊外には開発区がならび立つ

南京郊外の構成

　明代の14世紀、朱元璋によってつくられた南京旧城の外側が南京郊外にあたる。大きな弧を描きながら長江が流れ、豊かな自然に彩られた紫金山、玄武湖、雨花台、牛首山などの景勝地が点在する。一方、江蘇省の省都であることから、交通、商工業、レジャーなどのインフラ整備も進んでいる。市街南部には上海と南京を結ぶ高速鉄道の南京南駅、西側にはスタジアムや展覧場といった大型施設の立つ建鄴区、北側には新生圩港（南京新港）が位置し、また長江をはさんだ浦口とのあいだに1968年、南京長江大橋がかけられたのち、現在では第二、第三大橋にくわえ、地下トンネルでも結ばれている。

山水に彩られた田園都市

　4世紀、異民族に華北を占領された漢民族は、南遷して南京の地で王朝を開いた。荒涼とした華北の地と違って、南京では美しい河川、緑豊かな丘陵が都市に隣接し、この山水が書画や芸術にとり入れられて六朝貴族文化が花開いた（六朝は3〜6世紀、南京に都をおいた三国呉・東晋・宋・斉・梁・陳のこと）。この時代、朝廷から離れ、自然のなかで酒を飲み、清談を楽しむ竹

林七賢の生きかたが共感され、王羲之や謝安、顧愷之などの文人が登場している。六朝貴族は南京に隣接する雨花台、幕府山、紫金山に遊び、そこからさらに西の廬山、東の会稽に理想郷を求めて、隠遁生活を行なった。

最先端が生まれる開発区

　中国では、1978年、鄧小平の主導のもと、計画経済から西欧諸国の制度や資本をとり入れる改革開放がはじまった。当初、沿岸部の都市を中心に国、省、市、県など各行政単位による開発区が設置され、規制緩和と税制優遇を行なうことで、外資系企業を呼び込んだ。現在、工業や産業の集積のほか、環境やエネルギーといった新技術の研究開発、住環境や教育にも重点がおかれ、既存の都市に隣接する「(開発区という名の)新たな都市を建設する」といった性格をもつようになっている。南京には、浦口にある南京海峡両岸科技工業園、南京南駅に隣接する江寧開発区、ハイテク技術をあつかう南京高新技術産業開発区、新生圩港(南京新港)を抱える南京経済技術開発区などの開発区が位置する。

山水彩る江蘇省省都

★★☆
雨花台／雨花台 ユウフゥアタイ
南京大虐殺殉難同胞紀念館／侵华日军南京大屠杀遇难同胞纪念馆 チンフゥアリイジュンナンジンダアトゥウシャアユウナントンバオジイニィエングゥアン
棲霞寺／栖霞寺 チイシィアスー
★☆☆
建鄴区／建邺区 ジィアンイェチュウ
南京奥林匹克体育中心／南京奥林匹克体育中心 ナンジンアオリンピイカァテイユウチョンシン
浦口／浦口 プゥコウ
南京経済技術開発区／南京经济技术开发区 ナンジンジンジイジイシュウカァイファアチュウ
幕府山／幕府山 ムウフウシャン
八卦洲／八卦洲 バアグゥアチョウ
甘家巷／甘家巷 ガンジィアシィアン
初寧陵石刻／初宁陵石刻 チュウニンリンシイカア
牛首山／牛首山 ニュウショウシャン
南京江寧開発区／南京江宁开发区 ナンジンジィアンニンカァイファアチュウ

南京で起こった悲劇を伝える博物館

風光明媚な丘陵に伽藍が展開する

Yu Hua Tai
雨花台城市案内

南京旧城の正門にあたる
中華門の外に広がる雨花台
古くから南京を代表する景勝地だった

雨花台／雨花台 ★★☆
yǔ huā tái
うかだい／ユウフゥアタイ

　南京市街の南にそびえ、小高い3つの丘からなる雨花台。紀元前472年、越の范蠡が城砦を築くなど南京有数の歴史をもつ場所で、聚宝山、石子崗、梅崗、瑪瑙崗などと呼ばれてきた。雨花台という名前は、南朝梁の507年、ここで行なわれた雲光法師の読経に対して、「天が花を雨のように降らせた」ことに由来する。また南京に首都のあった明初(14世紀)、南京城壁に使う磚(焼成レンガ)を焼く官製の窯がおかれていた。南京旧城をのぞむような立地をもつため、南京攻略にあたって、太平天国軍や日本軍がここを南京攻略の拠点としたことも知られる(光宅寺、蕭帝寺、高座寺、長干寺といった仏教寺院、南京第一の賢者呉泰伯をまつる先賢祠があったものの、19世紀の太平天国の乱ではほとんどが焼失した)。「花の雨を降らせた」読経にちなむ雨花閣が立つほか、雨花台烈士紀念館、高座寺、江南第二泉、方孝孺墓などが点在する。

雨花台の名物

　長江がこの地に運んできた美しい5色の雨花石。雨花石は水に流れで摩滅し、丸くなった石英や瑪瑙の小石で、雨花台

はその産地となっている。また1958年以来、雨花台で茶の栽培が進み、松の葉のように尖ったかたちの雨花茶も知られる（「江南第二泉」とたたえられる雨花台の水で茶を飲む）。

方孝孺墓／方孝孺墓 ★☆☆
fāng xiào rú mù
ほうこうじゅぼ／ファンシィアオルウムウ

方孝孺は朱元璋に続く明第2代建文帝に仕えた儒学者。1399年、靖難の変で反旗をひるがえし、南京を攻撃した北京の燕王（のちの第3代永楽帝）に対して、方孝孺は「二君に仕えず」「燕賊簒位」と批判した。1402年、方孝孺は一族ともども処刑され、第3代皇帝となった永楽帝は北京へ遷都して、以後、北京が明の都となった（朱元璋は自身の一族を辺境地帯に封じ、建文帝の叔父にあたった永楽帝は北方最前線の北京をまかされた実力者だった）。またこの靖難の変で成果をあげた鄭和は、永楽帝の信任を受け、のちに南海遠征を行なっている。

雨花台烈士陵園／雨花台烈士陵园 ★☆☆
yǔ huā tái liè shì líng yuán
うかだいれっしりょうえん／ユウフゥアタイリィエシイリンユゥエン

1949年の中華人民共和国成立の過程で生命を失った人々をまつる雨花台烈士陵園。この雨花台には1927～49年のあいだ南京国民政府の刑場がおかれ、多くの共産党員が処刑された（また1937年、日本軍による南京攻略戦ではこの地で激戦が交わされている）。中華人民共和国成立後、中国でも最大規模の烈士陵園となり、紀念館を併設する。

最後まで永楽帝に抵抗した文人の方孝孺

天が花の雨を降らせた場所に立つ雨花閣

中国でも最大規模の雨花台烈士陵園

花神廟／花神庙★☆☆
huā shén miào

かしんびょう／フゥアシェンミャオ

雨花台の南、明代に創建されたという花神廟。鄭和は南海遠征からもち帰った花や植物を、雨花台南のこのあたりに植えたと伝えられる。花神(女夷)とは、春夏の花や草木の成長をつかさどる神様で、近くには花神湖も位置する。

「明代の名刹」天界寺

明初の1368年、仏教徒を管理したり、留学僧の対応にあたる目的で、善世院が整備された。当初、この善世院は大龍翔集慶寺にあり、集慶寺が火災で消失したことから、天界寺として中華門外2kmの地で再建された。明代(1368～1644年)、天界寺は霊谷寺、報恩寺とともに三大仏教寺院とされ、これらの寺院はいずれも旧城外に位置し、自然と一体となった伽藍が見られた。

浡泥国王墓／浡泥国王墓★☆☆
bó ní guó wáng mù

ぼつねいこくおうぼ／ボオニイグゥオワンムウ

浡泥国は現在のブルネイにあった国。北宋の977年以来の中国の朝貢体制に入り、明朝が樹立されると、1371年に首都南京に使節を送るなど友好関係は続いてた(長江を通じて南海にいたる南京では、三国呉の時代から南海諸国との関係があった)。1408年、浡泥国の麻那惹加那王は南京を訪れ、この地で亡くなった。永楽帝はこの王を南京郊外で手厚く葬り、以後、浡泥国王墓として整備されることになった。

明初期の功臣や官吏たちの墓も多い

Jian Ye

建鄴城市案内

南京旧城の西城外に隣接する建鄴区
21世紀に入ってから急速に発展した新市街で
高層ビルや現代建築がならぶ

建鄴区／建邺区 ★☆☆
jiàn yè qū
けんぎょうく／ジィアンイェチュウ

　秦淮河の西側、長江沿いに広がる南京新市街の建鄴区。21世紀に入ってから急速に開発が進み、河西新城(河西CBD)、南京新城科技園、南京奥林匹克体育中心が位置する。金奥大廈、芸蘭斎美術館、金陵図書館といった現代建築も立ちならび、建鄴区は最先端の工業、緑豊かな住環境、レクリエーションが一体となった都市の性格をもつ。建鄴という名前は、229年、三国呉の孫権がこの地においた南京の古名に由来する。

南京奥林匹克体育中心／南京奥林匹克体育中心 ★☆☆
nán jīng ào lín pǐ kè tǐ yù zhōng xīn
なんきんおりんぴっくたいいくちゅうしん／ナンジンアオリンピイカァテイユウチョンシン

　南京奥林匹克体育中心は建鄴区の中心に立つ複合スポーツ施設。6.2万人を収容するスタジアム、水泳場(游泳館)、蓮の花びらのようなテニスセンターなどからなる。スタジアムの屋根には、鮮烈な真紅(金陵紅)のアーチがかかる。

建鄴

夾江

雲錦路

南京大虐殺
紀念館

南京
市街へ

燕山路

集慶門
大街

応天大街

緑博園

揚子江大道

地鉄2号線

建鄴区

興隆大街

興隆
大街

夢都
大街

江東中路

金陵
図書館

夢都大街

芸蘭斎
美術館

黄山路

奥体
中心

南京奥林匹克
体育中心

奥体東

河西新城

奥体大街

金奥
大厦

泰山路

元通

地鉄10号線

南京新城科技園

南京国際
展覧中心

中勝

雨潤
大街

小行

0km   3km

N

南京国際展覧中心／南京国际展览中心★☆☆

nán jīng guó jì zhǎn lǎn zhōng xīn

なんきんこくさいてんらんちゅうしん／ナンジングゥオジイチャンラァンチョンシン

　総面積8万平方メートルの敷地をもつ南京国際展覧中心 (Nanjing International Expo Centre)。巨大な複数の建物から構成され、アパレルやモーターショーなどの展示会が開かれる。

★☆☆
建邺区／建邺区 ジィアンイェチゥウ
南京奥林匹克体育中心／南京奥林匹克体育中心 ナンジンアオリンピイカァテイユウチョォンシン
南京国際展覧中心／南京国际展览中心 ナンジングゥオジイチャンラァンチョンシン

市街西部城市案内

秦淮河の西はかつて南京旧城外だった
江東門に立つ南京大虐殺殉難同胞紀念館や
明代、鄭和のドックがあった宝船遺址公園が残る

莫愁湖／莫愁湖★☆☆

mò chóu hú

ばくしゅうこ／モオチョウフウ

　莫愁湖は南京市街西部に広がる景勝地で、六朝時代(3〜6世紀)は長江岸辺にあたった。莫愁湖という名前は、南斉時代、洛陽から南京の商人のもとへ嫁いできた盧莫愁という娘にちなむ(斉に続く梁の武帝は「河中の水は東に向かって流る／洛陽の女児、名は莫愁」と詠んでいる)。明代、中山王徐達の花園がおかれ、現在は湖を中心に莫愁女の像や亭が立っている。

南京大虐殺殉難同胞紀念館／
侵华日军南京大屠杀遇难同胞纪念馆★★☆

qīn huá rì jūn nán jīng dà tú shā yù nàn tóng bāo jì niàn guǎn

なんきんだいぎゃくさつじゅんなんどうほうきねんかん／
チンフゥアリイジュンナンジンダアトゥウシャアユウナントンバオジイニィエングゥアン

　日中戦争さなかの1937年、当時、中国の首都だった南京を陥落させた日本軍によって起こった南京事件(南京大虐殺)。統制と自制力を失った日本軍は中国人への暴行、殺害、略奪を行ない、この事件は南京にいた外国人によって世界中に知られることになった。南京大虐殺殉難同胞紀念館では、このとき起こったとされる写真や展示、彫刻などが見られる。なおその犠牲者数をめぐって、日中間に見解の相違があ

り、南京大虐殺殉難同胞紀念館には中国側の主張する30万人という文字が刻まれている(犠牲者数に関しては、1～2万人説、4万人説、20万人以上説、30万人説のほか、なかったというものもある)。この南京事件(南京大虐殺)に関する日本政府の見解は「非戦闘員の殺害や略奪行為等があったことは否定できない」「被害者の具体的な人数については諸説あり、政府としてどれが正しい数かを認定することは困難」「アジア諸国の人々に対して多大の損害と苦痛を与えたことを率直に認識し、痛切な反省と心からのお詫びの気持ちを常に心に刻みつつ、戦争を二度と繰り返さず、平和国家としての道を歩んでいく決意」(外務省webより引用)となっている。この南京事件は南京大虐殺のほか、中国で南京大屠殺、欧米でナンキン・アトロシティーズと呼ばれている。

南京攻略と戦争の長期化

　1937年の盧溝橋事件を受けて日中戦争がはじまり、租界のある上海にも飛び火した。杭州湾に上陸した日本軍は、中華民国の首都がおかれていた南京へ向かって進軍を開始。太湖の北側と南側を通るルートで、南京を目指し、各部隊は「南京一番乗り」を目指した。当時の日本には、首都南京を落とせば戦争は終わるだろうという空気があり、南京陥落の報を受けて群衆は提灯行列に繰り出し、国会議事堂にイルミネーションがつけられ、「祝南京陥落」のアドバルーンがあがるなど、祝賀ムードとなった(またこのとき日本の新聞が報じ

★★☆
南京大虐殺殉難同胞紀念館／侵华日军南京大屠杀遇难同胞纪念馆 チンフゥアリイジュンナンジンダアトゥウシャ
アユウナントンバオジイニィエングゥアン

★☆☆
莫愁湖／莫愁湖 モオチョウフウ
南京雲錦博物館／南京云锦博物馆 ナンジンユンジンボオウグゥアン
宝船遺址公園／宝船遗址公园 バオチュゥアンイイチイゴンユゥエン
渡江勝利記念館／渡江胜利记念馆 ドゥウジィアンシェンリイジイニィエングゥアン

1937年 日本軍の南京進軍

揚州

鎮江
(12月6日)

南京
(12月13日)

句容

南京会戦
経過図

常州
(11月29日)

京杭大運河

無錫

長江

宜興

太湖

蘇州
(11月19日)

上海

蕪湖
(12月10日)

広徳

湖州
(11月24日)

嘉興

金山衛
(11月5日)

杭州湾

杭州

『南京事件』(秦郁彦/中央公論社)
「南京攻略作戦経過要図」をもとに作製
11月20日国民政府は
重慶への遷都を発表

0km　　　　　100km

下関

長江

南京

『機密日露戦史』(谷寿夫/原書房)
をもとに作成

南京会戦 経過図

た「国民感情をあおる内容」の記事、陥落前に「南京城内に日章旗がひるが
えった」と報じた記事などはのちに問題視されることになった）。日本の
南京攻略に対して、蒋介石は長江上流の重慶へ遷都し、持久
戦を展開、1941年には太平洋戦争が勃発するなど、日本は
泥沼の戦争へと突入していった。

南京雲錦博物館／南京云锦博物馆★☆☆
nán jīng yún jǐn bó wù guǎn
なんきんうんきんはくぶつかん／ナンジンユンジンボオウウグゥアン

　南京では、元、明、清代の700年に渡って皇帝の身につける
衣服がつくられてきた。この最上級の絹織物は、南京雲錦と
呼ばれ、世界遺産にも指定されている。極彩色の牌楼からな
かに入った中国南京雲錦博物館では、南京雲錦の紹介とと
もに、皇帝を象徴する龍や草花の刺繍などの展示が見られ
る。

宝船遺址公園／宝船遗址公园★☆☆
bǎo chuán yí zhǐ gōng yuán
ほうせんいしこうえん／バオチュウアンイイチイゴンユゥエン

　宝船遺址公園は明代、7度に渡った鄭和の西洋下り（インド
から東アフリカへいたる航海）で使われた宝船のつくられた造船
場跡。龍江関の造船所は、朱元璋が即位した1368年に整備
され、江南各地から集められた船大工が造船、修理を行なっ
た。宝船（西洋取宝船）の最大のものは長さ151.8m、幅が61.6m
になったと言われ、この造船所跡から全長11.07mの巨大な
梶棒が発見されたことから、その大きさは裏づけられた。
1498年、インド航路を「発見」したヴァスコ・ダ・ガマの船が4
隻170人の乗組員だったのに対し、その半世紀前にインドを
訪れた鄭和の艦隊は62隻2万7000人の乗組員にも達してい
た。南京から出航した船は蘇州劉家港をへて、福建省、広東
省へと向かった。

渡江勝利記念館／渡江胜利纪念馆★☆☆

dù jiāng shèng lì jì niàn guǎn

とこうしょうりきねんかん／ドゥウジィアンシェンリイジイニィエングゥアン

　　1945年の終戦を受けて、中国では国共内戦が再開された
(共産党の周恩来は、南京の梅園新村にとどまって国民党と交渉を続けた
が決裂)。南京に首都をおく国民党と延安に拠点をおく共産
党のあいだで戦いがはじまった。当初、国民党が優勢だっ
たものの、淮海戦役で共産党は国民党軍を破り、南京、上海
を目と鼻の先とする長江北岸にせまった。1949年、共産党
軍は3か所から長江を渡って進軍、南京を攻略した。やがて
杭州、上海が共産党軍の手に落ちると、蒋介石は台湾に渡っ
た。長江にのぞむこの渡江勝利記念館のほか、近くの下関に
は渡江勝利記念碑、渡江勝利広場も位置する。

雨花台と南京郊外・開発区／長江ほとり広がる「田園都市」

南京大虐殺殉難同胞紀念館

博物館前には彫刻がならぶ

皇帝に捧げられた織物の展示が見られる南京雲錦博物館

南京大虐殺殉難同胞紀念館は広大な敷地をもつ

元通前でおしゃべるする人たち

次々に現代建築が立つ建鄴区

Pu Kou

浦口城市案内

長江をはさんで
南京市街の対岸にあたる浦口
20世紀末以来、急速な発展を見せる

浦口／浦口★☆☆
pǔ kǒu
ほこう／プウコウ

　南京市街と対峙するように長江北岸に位置する浦口。15世紀の明代に浦子口城が築かれ、当時はほとんど何もなかったが、1912年に天津とこの浦口を結ぶ津浦鉄道が開通して発展がはじまった（北京、天津から浦口へいたり、船で長江を渡って南京から上海へ鉄道は続いた）。浦口は1914年に開港して対岸の下関とともに南京港を構成し、1968年に長江大橋が完成すると南京市街と結ばれた。珍珠泉、四方当代美術館などが位置するほか、現在は開発区がおかれて急速に発展が進む南京の新たな顔となっている。

南京海峡両岸科技工業園／南京海峡两岸科技工业园★☆☆
nán jīng hǎi xiá liǎng àn kē jì gōng yè yuán
なんきんかいきょうりょうがんかぎこうぎょうえん／ナンジンハイシィアリィアンアンカアジイゴンユゥエユゥエン

　南京海峡両岸科技工業園は浦口、老山の麓に広がる開発区。科学技術、教育、快適な住環境も考慮された新市街で、江北明珠（江北新城）の愛称をもつ。工業区では新エネルギーや新材料、自動車部品、機械関係の企業が集まり、通信網などのインフラも整備されている。また複数の長江大橋と南京長江トンネルで南京市街と結ばれている。

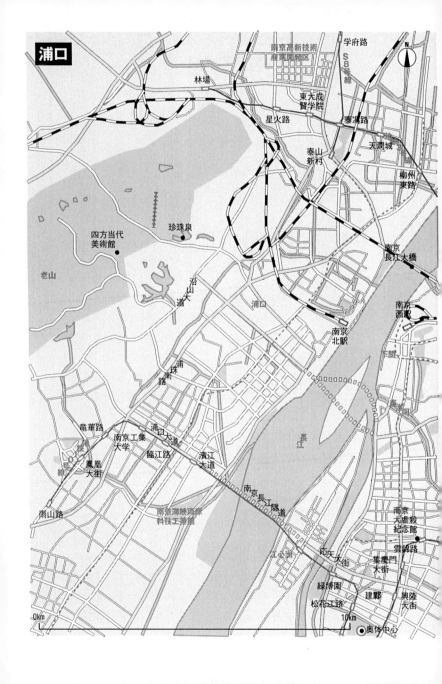

南京高新技術産業開発区／南京高新技术产业开发区 ★☆☆
nán jīng gāo xīn jì shù chǎn yè kāi fā qū
なんきんこうしんぎじゅつさんぎょうかいはつく／ナンジンガオシンジイシュウチャンイェエカァイファアチュウ

　　長江北岸、浦口の北東郊外に位置する南京高新技術産業
開発区(高新とはハイテクのこと)。20世紀末に開発区がおかれ、
自動車、鉄鋼、電子機器をあつかう企業が集まっている。ま
たこの南京高新技術産業開発区のさらに北東には南京化学
工業園も位置する。

北郊外城市案内

南京市街北側の長江に面する地域は
龍潭港や新生圩港などがならぶ港湾地区
古く晋の王族や菩提達磨の渡河地点でもあった

南京経済技術開発区／南京经济技术开发区★☆☆
nán jīng jīng jì jì shù kāi fā qū
なんきんけいざいぎじゅつかいはつく／ナンジンジンジイジイシュウカァイファアチュウ

　南京経済技術開発区は1992年、南京市街北に設置された開発区で、長江の水利を活かした港湾機能をもつことを最大の特徴とする。開発区の玄関にあたり、下関の下流に位置する新生圩港(南京新港)は中国最大の内陸河港で、周囲に豊かな後背地を抱える(大型船舶も停泊できる)。この南京経済技術開発区ではIT、物流、生物医薬の分野の企業が集まり、税制の優遇、規制緩和を受けた外資企業も見られる。

燕子磯／燕子矶★☆☆
yàn zǐ jī
えんしき／ユゥエンズゥジイ

　長江に向かって突き出し、燕が翼をひろげて飛び立とうとする姿から名づけられた燕子磯(山が河川にのぞんでいるところを磯という)。上部には碑亭が立ち、清の乾隆帝による「燕子磯」の石碑が残る。古くから渡河地点となってきた場所で、アヘン戦争時、イギリスはこの燕子磯から南京に上陸したという経緯もある。燕子磯から対岸にかけて、長江がつくり出した巨大な中洲の八卦洲が広がる。

明の外郭城

　明代の南京は、紫禁城を中心に皇城、応天府城（南京旧城）、外郭城からなる四重構造をもっていた。外郭城の長さは60kmにおよび、幕府山、雨花台などを囲んでいた（南京旧城は33.7km）。この外郭城は、城門以外は土を盛った程度のもので、門跡の地名が残っている。外郭城北の観音門外に燕子磯、東の麒麟門外に初寧陵石刻、西の江東門に南京大虐殺殉難同胞紀念館が残る。

幕府山／幕府山 ★☆☆
mù fú shān
ばくふさん／ムウフウシャン

　幕府山は、長江に沿うように5.5km続くなだらかな丘陵。幕府山という名前は、東晋（317〜420年）の樹立に貢献した王導の幕府がここにあったためと伝えられる。「王と馬と天下をともにす」と言われるように、皇帝に即位する司馬氏と王氏を中心に、東晋王朝が開かれた。幕府山あたりは異民族に占領された華北を避けるため、307年、晋の五王が渡河上陸した場所だという五馬渡広場が残るほか、梁の武帝との問答に失望した菩提達磨がここから華北へ渡河したという（また空海が、当時、この幕府山にあった清涼寺に滞在したという伝説も残る）。あたりは長江をのぞむ風光明媚な風景区となっている。

明の外郭城

燕子磯

観音門

仏寧門

上元門

外金川門

幕府山

姚坊門

獅子山

鐘阜門

神策門

仙鶴門

儀鳳門

金川門

紫金山

定淮門

太平門

明孝陵

初寧陵

長江

清涼山

鼓楼

麒麟門

清涼門

南京旧城
（内城）

皇城

南京外郭城
（外城）

柵欄門

石城門

朝陽門
（中山門）

江東門

三山門
（水西門）

小馴象門

聚宝門
（中華門）

通済門

正陽門
（光華門）

滄波門

大馴象門

小安徳門

雨花台

高橋門

大安徳門

鳳台門

上方門

夾崗門

N

0km   10km

象山／象山 ★☆☆

xiàng shān

ぞうさん／シィアンシャアン

　南京市街の北に位置する象山（人台山）は、六朝時代（3〜6世紀）の名門貴族王氏の陵墓がおかれたところ。秦淮河ほとりの烏衣巷に暮らした六朝貴族は、象山や紫金山など南京郊外に陵墓を築いた。

八卦洲／八卦洲 ★☆☆

bā guà zhōu

はっけす／バアグゥアチョウ

　八卦洲は長江の運ぶ莫大な土砂によって出現した巨大な沙洲。乾隆帝時代は旗人がこの沙洲に拠点を構え、民国時代（1912〜49年）から八卦洲の開発ははじまった。現在は南の南京市街と長江北岸を結ぶ長江第二大橋が八卦洲を縦断するように架けられている。

急速に開発が進む長江対岸の浦口

長江大橋やトンネルで南京市街と浦口は結ばれている

Dong Jiao Qu
東郊外城市案内

南京を代表する古刹の棲霞寺
また甘家巷、麒麟門といった南京東郊外には
南朝の皇帝陵墓群が残る

棲霞寺／栖霞寺★★☆
qī xiá sì
せいかじ／チイシィアスー

南京市街の北東22kmに位置し、玉泉寺（湖北省）、国清寺（浙江省）、霊厳寺（山東省）とならんで「四大叢林」を構成する棲霞寺。南斉の489年、明僧紹に開かれた古刹で、破壊と再建を繰り返しながらも、毘盧宝殿を中心に法堂、経蔵閣といった純粋な七堂伽藍の様式を今に伝える。とくに南京が衰微した隋唐時代、市街から離れた棲霞山は仏教の中心地となり、唐代の三論宗の発祥地となった（龍樹の『中論』『十二門論』、提婆の『百論』を中心とした仏教宗派で、「空」や「中道」を説く）。601年、隋の文帝が全国につくらせた仏塔を全身とする八角五層の舎利塔（高さ15m）、無量寿仏と観音、勢至両菩薩をまつる大仏閣、無量殿、千仏厳などが残る。

棲霞山の自然

棲霞寺の伽藍が展開する棲霞山は、「金陵第一明秀の山」と言われ、秋には美しい紅葉を見せる。龍山（東峰）、虎山（西峰）、鳳翔峰（中峰）と3つの峰をもち、最高峰の鳳翔峰は高さ286mとなっている。これらの峰々と緑が織りなすなか、白乳泉、品外泉、珍珠泉といった泉が点在する。この棲霞山は

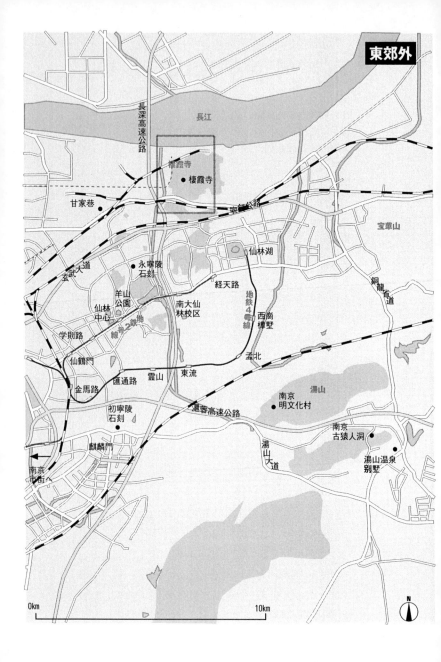

長深高速公路

長江

棲霞寺
● 棲霞寺

● 甘家巷

宝華山

寧鎮公路

玄武大道

● 永寧陵
石刻

● 仙林湖

銅龍首道

羊山
公園

経天路

仙林
中心

南大仙林校区

軽鉄4号線

学則路

線号2鉄軽

西崗野

仙鶴門

匯通路

靈山

東流

盂北

金馬路

● 南京
明文化村

湯山

初寧陵
石刻

滬蓉高速公路

● 南京
古猿人洞

湯山大道

麒麟門

湯山温泉
別墅

← 南京
市街へ

N

0km   10km

古く漢方に使われる薬草が自生する山と知られ、日本渡来前の鑑真が修行に訪れたとも伝えられる。

千仏巌／千佛岩 ★☆☆

qiān fú yàn

せんぶつがん／チィエンフウィェン

　　千仏巌は、中国が南北に分裂した時代(南朝は420〜589年)、仏教の栄えた「南朝の都」南京郊外で彫られた仏教石窟。北魏の山東制圧を受けた仏教僧たちがこの地へ逃れ、484年、岩肌を利用して仏龕を彫り、そこに石仏を安置していった。斉から続く梁代へと千仏巌の造営は続き、700体の仏像が現存する。また、ある彫刻師が「1000体の石仏」を彫るよう命じられたが、急に皇帝が訪れることになったためあと1体を残して間にあわなかった。そこで自ら1000体目の石仏となってその場を乗り切り、翌日、自分そっくりの石仏を彫ったという逸話も伝えられる。雲崗石窟や龍門石窟を残す北朝に対して、南朝の仏教遺跡はほとんど残っていないことから、貴重な石窟とされ、「江南の雲崗」にもたとえられる。

甘家巷／甘家巷 ★☆☆

gǎn jiā xiàng

かんかこう／ガンジィアシィアン

　　南朝でもっとも繁栄した世をつくった梁(502〜557年)諸王の陵墓が集中して残る甘家巷。安成康王蕭秀、鄱陽忠烈王蕭

★★☆

棲霞寺／栖霞寺 チイシィアスー

★☆☆

甘家巷／甘家巷 ガンジィアシィアン

永寧陵石刻／永宁陵石刻 ヨンニンリンシイカア

初寧陵石刻／初宁陵石刻 チュウニンリンシイカア

湯山／汤山 タァンシャン

南京明文化村／南京明文化村 ナンジンミンウェンフゥアチュン

南京古猿人洞／南京古猿人洞 ナンジングウユゥエンレンドォン

棲霞寺

毘盧宝殿　蔵経楼　舎利塔

鳳翔峰　棲霞山　虎山　珍珠泉　暢観亭　千仏巌　棲霞寺　棲霞街　棲霞大道　寧鎮線

0km　1km

恢、始興忠武王蕭憺、南平王蕭偉、呉平忠候蕭景らの墓が続き、また甘家巷に隣接する張家庫には桂陽簡王蕭融の墓も残る。梁は武帝こと蕭衍が樹立した王朝で、甘家巷一帯は蕭家の宗族墓域とも呼びうる。これらの陵墓を守る一対の石獣(麒麟、辟邪)が見られ、無角獣は王侯の陵墓、有角獣は皇帝の陵墓といった区別があるという(甘家巷には王侯墓の無角獣が立つ)。

南朝陵墓

　中国が南北に分裂した時代、南朝の首都は南京(420〜589年)におかれ、宋、斉、梁、陳の皇帝陵墓、王墓は南京郊外に分布する(この南朝に、倭の五王は幾度も使節を送っている)。風水にあわせて山麓や山の中腹に陵墓が築かれ、200基を超す皇帝、諸王、諸侯の墓が確認されている。南朝に先立つ三国呉や東晋の皇帝陵墓は、より南京市街に近い紫金山、鶏籠山、幕府山などにあったが、南朝の都の拡大や宗族ゆかりの地にあわせて郊外におかれるようになった。549年に起こった侯景の乱で南京は壊滅状態になったことから、皇帝と陵墓の比定で不明な点もあり、わずかに残る石獣が南朝の栄華を伝えている。

永寧陵石刻／永宁陵石刻 ★☆☆
yǒng níng líng shí kè
えいねいりょうせっこく／ヨォンニンリンシイカア

　甘家巷南東の獅子衝に残る永寧陵石刻。宋、斉、梁に続く南朝陳の文帝(522〜566年)の陵墓を守護した一対の石獣が見られる。

★★☆
栖霞寺／栖霞寺 チイシィアスー

★☆☆
千仏巌／千佛岩 チィエンフウイェン

南朝陵墓を
守護する
石獣

霊壮簡飾型

修長曲動型

初寧陵石刻／初宁陵石刻 ★☆☆

chū níng líng shí kè

しょうねいりょうせっこく／チュウニンリンシイカア

　南京東郊外の麒麟鎮に残る宋の武帝劉裕の初寧陵石刻（南京旧城中山門から東10kmの地で、かつて明外郭城の麒麟門があった）。この武帝劉裕は異民族に占領された長安を一時、奪回するなど武勇で知られ、420年、東晋恭帝から禅譲を受け、南朝宋を開いた。死後、初寧陵に葬られ、陵墓を守る一対の石獣が残っている。石獣は石灰岩を丸彫にしたもので、1956年に修復され、現在の台座におかれた。

湯山／汤山 ★☆☆

tāng shān

とうざん／タァンシャン

　南京市街から東に25kmに位置し、古くから保養地となってきた湯山。大小数か所の温泉がわき、関節炎や神経痛への効果があるという。蒋介石（1887～1975年）とその妻宋美齢の別荘「湯山温泉別墅」が残るほか、観光地としての開発も進んでいる。

南京明文化村／南京明文化村 ★☆☆

nán jīng míng wén huà cūn

なんきんみんぶんかそん／ナンジンミンウェンフゥアチュン

　明（1368～1644年）初期の都がおかれた南京をテーマにした南京明文化村。明の職人の様子、酒楼がならぶ様子が再現されている。また第3代永楽帝が孝陵に安置しようとした、高さ62.8m、重さ1000トンのかつてない規模の石碑「陽山碑材」も見られる。あまりの巨大さに湯山から南京まで運ぶことができず、そのまま残っている（第3代永楽帝は第2代建文帝から皇帝位を奪ったことから、初代皇帝をたたえることで自らを正当化しようとしたという）。結局、明孝陵には別の石を使った大明孝陵神功聖徳碑が建つことになった。

南京古猿人洞／南京古猿人洞 ★☆☆

nán jīng gǔ yuán rén dòng

なんきんこえんじんどう／ナンジングウユゥエンレンドォン

　　南京古猿人洞は、10万年ほど前の更新世に生きた原人の頭蓋骨が発掘された鍾乳洞。長さ16cm、幅13cmほどの頭蓋骨は北京原人(50万〜20万年前)と類似性があると言われ、古くからこの地で人類が生息していたことが確認された。人類は猿人、原人、旧人、新人と進化を続け、中国では原人を「猿人」と表記する(現生人類は新人を祖先とし、原人とは別の人類)。

湖に浮かぶ亭

棲霞寺の牌楼、ここから奥に伽藍が続く

のんびりとした風景が見られる南京郊外

バスが市街と郊外を結ぶ

南郊外城市案内

急速に開発が進む江寧開発区
偶然「発見」された南唐陵墓
牛首山や将軍山では美しい風景が見られる

牛首山／牛首山 ★☆☆
niú shǒu shān
ぎゅうしゅさん／ニュウショウシャン

　南京市街の南郊外にそびえ、「牛の首」に似ていることからその名がついた牛首山(牛頭山)。古く、三国呉の孫権が道観を建て、またこの山の地形を利用して仏教石窟が彫られるなど、仏教と道教双方の聖地だった(牛頭禅と言われる宗派もあった)。317年、南京で東晋が樹立されたとき、東晋の王導は南郊外で対峙するふたつの峰(牛首山)をさして、これを天闕だと言ったとも伝えられる(王朝の都には南正面に正式な門が必要とされ、天闕は宮城の南門)。また1130年、南京を占領した金軍に対し、宋の岳飛がこの地に要塞を築いて南京を奪回するなど軍事上の要衝にもなってきた。現在、高さ440mほどの牛首山を中心に、一帯は松や竹がしげる風景区となっている。

南唐二陵／南唐二陵 ★★☆
nán táng èr líng
なんとうにりょう／ナンタンアアリン

　牛首山近くの粗堂山の麓、斜面を利用して横穴状に掘られたふたつの陵墓が隣接する南唐二陵。唐滅亡後の五代十国にあって、南唐(937〜975年)は「唐の後継者」を自認し、南京に都をおいて文化を花開かせた(南唐の領土は、江蘇省、安徽省、江

南郊外

0km　　　　　　　　　10km

西省から福建省の一部へおよんだ）。この南唐は3代、39年続き、3代目の李後主は北方へ連れて行かれたため、初代李昇と第2代李璟の墓が残る。南唐陵墓の所在は、長いあいだわかっていなかったが、南京の商人に骨董を売りに来た人を通じてその場所がつきとめられ、1950〜51年、太子墳と呼ばれていたこの地域で発掘された。

欽陵／钦陵★★☆
qin ling
きんりょう／チンリン

南唐初代李昇(888〜943年)が眠る地下宮殿の様式をもつ欽陵。奥行き21.8m、幅10.45mで、前中後の3つの部屋と左右の側室からなり、壁面には顔料が残る(高さ12m)。李昇は孤児で、戦乱のなか唐の節度使から呉王となった楊行密の養子となった。揚州の楊行密がなくなると、南京にいた李昇は独立して937年、皇帝に即位した(唐の正当性を受け継ぐ意図から李姓を名乗った)。

★★☆
南唐二陵／南唐二陵 ナンタンアアリン
欽陵／钦陵 チンリン
順陵／顺陵 シュンリン
雨花台／雨花台 ユウフゥアタイ

★☆☆
牛首山／牛首山 ニュウショウシャン
宏覚寺塔／弘觉寺塔 ホォンジュエスータア
鄭和墓／郑和墓 チェンハアムウ
将軍山／将军山 ジィアンジュンシャン
南京江寧開発区／南京江宁开发区 ナンジンジィアンニンカァイファアチュウ
秣陵関／秣陵关 モォリングゥアン
花神廟／花神庙 フゥアシェンミャオ
渟泥国王墓／渟泥国王墓 ボオニイグゥオワァンムウ
建鄴区／建邺区 ジィアンイェチュウ

南唐二陵
欽陵

断面図

平面図

前室

中室

後室

棺座

側室

0m   5m

順陵／順陵★★☆
shùn líng
じゅんりょう／シュンリン

第2代李璟(916〜961年)と鐘皇后の合葬陵の順陵。欽陵に隣接する奥行き21.90m、幅10.12mの横穴式陵墓で、円形の墳丘をもつ。北方の宋の力が増すなか、李璟は皇帝を名乗るのをやめ、南京から南昌へ都を移し、961年になくなった。この李璟の死後、南唐の力は弱まり、3代目の李後主のとき王朝の命運はつきた。

南唐で華やいだ文化

淮南塩の産地を抱え、豊かな国力を誇った南唐の宮廷では、その後の中国文化に影響をあたえるものが次々と生み出された。「李延珪墨」「澄心堂紙」といった南唐宮廷御用の文房四宝(紙、墨、筆、硯)をつくらせ、文具は芸術の域にまで達した。南京秦淮河近くにあった南唐の宮廷では、金や玉が集められたことから、夜でも灯火を使わずに大宝珠だけで明るかったと伝えられる。また性的な魅力を増したという纏足も、南唐の宮廷で生まれ、黄金の蓮花台で舞姫窅娘の足をしばって踊らせたことがはじまりだという。

宏覚寺塔／弘觉寺塔★☆☆
hóng jué sì tǎ
こうかくじとう／ホォンジュエスータア

牛首山に立つ高さ25m、八角七層の宏覚寺塔。唐代の774年に建立されたと伝えられ、その後、明代に再建されたのち、幾度か破壊と修復が続いて現在の姿となった。

南唐第2代李璟の眠る順陵、欽陵に隣接する

南唐二陵は地下宮殿の構造をもつ

牛首山山麓に伽藍が展開する宏覚寺

粗堂山の美しい自然に溶けこむ南唐二陵

鄭和墓／郑和墓★☆☆
zhèng hé mù
ていわぼ／チェンハアムウ

　明代、北京に準ずる都だった南京を拠点に南海遠征に繰り出した鄭和(1371～1434年ごろ)。南インドから東アフリカへいたる7度の航海を行ない、カリカットで没し、牛首山に葬られた。この鄭和墓はその説話をもとに整備されたもの。

将軍山／将军山★☆☆
jiāng jūn shān
しょうぐんさん／ジィアンジュンシャン

　南京南郊外、牛首山の北東側に位置する将軍山。このあたりは仏僧が庵を結んだところで、観音像や弥勒仏の石像、石崖に刻まれた石刻が残る(また1130年、岳飛が金軍と戦った古戦場でもあった)。あたりは自然の地形を利用した風景区として整備されている。

南京江寧開発区／南京江宁开发区★☆☆
nán jīng jiāng níng kāi fā qū
なんきんこうねいかいはつく／ナンジンジィアンニンカァイファアチュウ

　1992年に設置され、自動車、電子部品、ITなどのハイテク企業が集まる南京江寧開発区。市街から7kmの距離、上海との高速鉄道と結ばれた南京南駅、南郊外の南京禄口国際空港といった地の利をもつ。電力や通信網のインフラが整備されているほか、周囲は緑に囲まれた環境となっている。

南京郊外城市案内

**南京が形成される以前、人々は
秦淮河のほとりの南郊外に多く暮らしていた
南京の空の玄関口、南京禄口国際空港も位置する**

万安陵／万安陵 ★☆☆
wàn ān líng
まんあんりょう／ワンアンリン

　南京市街南東の上方鎮に位置する万安陵。南朝最後の陳（557〜589年）を樹立した武帝陳覇先の陵墓で、石刻が立つ。万安陵の位置する大連山南西麓一帯は谷になっていて、梁の蕭正立墓(南朝陵墓群) も残っている。

大勝関／大胜关 ★☆☆
dà shèng guān
たいしょうかん／ダアシェングァン

　大勝関は長江に面する古南京港がおかれていた場所で、明清時代、下流の下関に対して上関と呼ばれていた。とくに明代以降、「湖広熟すれば天下足る」と言われるようになり、安徽省や湖南省からの米を運ぶ糧船は、この大勝関から南京市街へと入った。大勝関と長江北岸を結ぶ長江第三大橋が架けられている。

秣陵関／秣陵关 ★☆☆
mò líng guān
まつりょうかん／モォリングァアン

　南京市街から南20kmに位置する秣陵関は、秦の始皇帝時

南京郊外

六合区

棲霞寺
宝華山
南京長江大橋
浦口
紫金山
湯山
南京
万安陵
大勝関
湖熟鎮
句容
牛首山
秣陵関
禄口
国際空港
横山
上海へ→
被崗漬
茅山
鎮州
鎮江
長江
安徽省
江蘇省

0km　　　　　　　　50km

代に南京(秣陵)があったところ。「500年後、南京から王者が生まれる」と耳にした始皇帝は、濠(秦淮河)を掘削して地脈を断ち、そのうえ金陵と呼ばれていた南京を秣陵(金からまぐさへ変えた)と改名させた。この秣陵関あたりは、続く漢代、武帝の皇子である劉纏が封じられるなど、行政の中心となっていた。三国呉の孫権が現在の南京(石頭城、玄武湖南)に街をつくると、街の中心はそちらに遷った。

破崗瀆／破岗渎★☆☆
pò gǎng dú
はこうとく／ポオガァンドゥウ

破崗瀆は三国呉の孫権が整備した運河で、南京と蘇州、呉興、会稽を結ぶ大動脈だった(孫権の勢力は、杭州から蘇州、鎮江、南京、武昌と西に開墾を進め、南京に都をおいた)。245年に開削されたこの破崗瀆を使って、物資や人が運搬され、のちに隋代の江南河のもととなった。

南京禄口国際空港／南京禄口国际机场★☆☆
nán jīng lù kǒu guó jì jī chǎng
なんきんろくこうこくさいくうこう／ナンジンルウコウグゥオジイジイチアン

南京市街から南36kmに位置し、空の玄関口となっている南京禄口国際空港。1997年に開港した空港で、中国の各都市と結ばれているほか、国際便も往来する。

★★☆
棲霞寺／栖霞寺 チイシィアスー

★☆☆
万安陵／万安陵 ワンアンリン
大勝関／大胜关 ダアシェングァン
秣陵関／秣陵关 モォリングゥアン
南京禄口国際空港／南京禄口国际机场 ナンジンルウコウグゥオジイジイチアン
湖熟鎮／湖熟镇 フウシュウヂェエン
横山／横山 ヘァンシャン
浦口／浦口 プウコウ
湯山／汤山 タァンシャン

湖熟鎮／湖熟镇 ★☆☆

hú shú zhèn

こじゅくちん／フウシュウヂェエン

　秦淮河中流、上流域は南京市街よりも早くに人類が居住したところで、湖熟鎮には5000年前の新石器時代の遺構が残る。この湖熟鎮を中心に、殷周文化の影響を受け、銅器も使われた湖熟文化が南京一帯で栄えた。稲作と漁撈という人々の営みは、のちの呉越の文化へつながっていった。

横山／横山 ★☆☆

héng shān

おうさん／ヘァンシャン

　南京の南郊外、安徽省と江蘇省の省境にあたりひっそりとたたずむ横山。ここは春秋時代の紀元前570年、楚と呉が戦った古戦場で、楚は郢（湖北省江陵）を都において東の呉と対峙した（呉は越に敗れ、やがて越も楚に敗れた。南京には呉の冶城が朝天宮に、楚の金陵が石頭城にあった）。

Nancho Bunka
咲き誇った南朝文化

華北が異民族に占領された4世紀の中国
漢族は南遷して南京で王朝を樹立
589年、隋による統一まで南北の分裂が続いた

「南朝四百八十寺」と詠われた仏教の伝統をもつ南京

南京の開発区では、次々に高層建築が立つ

禅の菩提達磨も幕府山あたりで長江を北岸に渡ったという。

仏教の浸透

　三国呉の247年、江南ではじめての仏教寺院となる建初寺が南京に建てられた。以来、東晋、南朝(宋・斉・梁・陳)を通じて南京の仏教文化は栄えることになった。この時代の南京には2846の仏教寺院、8万2700人の僧尼の数をほこったと言われ、紫金山、雨花台、牛首山などの丘陵地帯に仏教の拠点がおかれていた。また南海を通じて多くのインド人仏教僧が南京に訪れ、経典の漢訳が進められた。坐って手で食事をとるインドの食事方法に、中国人知識人層は閉口したと伝えられる(箸を使う中国と、手で直接、食事をとるインドには文化の違いがあった)。

『中国の歴史散歩 3』(山口修・鈴木啓造/山川出版社)

『南京物語』(石川忠久/集英社)

『隋唐の仏教』(鎌田茂雄/東京大学出版会)

『纏足』(岡本隆三/弘文堂)

『園林都市』(大室幹雄/三省堂)

『世界美術大全集 東洋編3』(曽布川寛・岡田健/小学館)

『中国美術の図像と様式』(曽布川寛/中央公論美術出版)

『南京事件』(笠原十九司/岩波書店)

『南京事件』(秦郁彦/中央公論社)

日本国外務省ホームページhttp://www.mofa.go.jp/

『世界大百科事典』(平凡社)

[PDF]南京地下鉄路線図http://machigotopub.com/pdf/nanjingmetro.pdf

OpenStreetMap

(C)OpenStreetMap contributors

雨花台と南京郊外・開発区／長江ほとり広がる「田園都市」

まちごとパブリッシングの旅行ガイド

Machigoto INDIA , Machigoto ASIA , Machigoto CHINA

マカオ-まちごとチャイナ

Juo-Mujin（電子書籍のみ）

自力旅游中国Tabisuru CHINA

南京

雨花台

N

0km   3km

建鄴

0km　　　　　　　　　　　　　　　3km

N

浦口

北郊外

N

0km   10km

東郊外

0km   10km

N

棲霞寺

0km　　　　　　　　　　1km

南郊外

0km   10km

南京郊外

N

0km　　　　　　　50km

【車輪はつばさ】
南インドのアイラヴァテシュワラ寺院には
建築本体に車輪がついていて
寺院に乗った神さまが
人びとの想いを運ぶと言います

An amazing stone wheel of the Airavatesvara Temple
in the town of Darasuram, near Kumbakonam in the South India

まちごとチャイナ
江蘇省 011

雨花台と南京郊外・開発区
長江ほとり広がる「田園都市」
[モノクロノートブック版]

「アジア城市（まち）案内」制作委員会
まちごとパブリッシング
http://machigotopub.com

・本書はオンデマンド印刷で作成されています。
・本書の内容に関するご意見、お問い合わせは、発行元の
　まちごとパブリッシング info@machigotopub.com までお願いします。

まちごとチャイナ
新版 江蘇省011雨花台と南京郊外・開発区
～長江ほとり広がる「田園都市」

2020年 8月15日　発行

著　者	「アジア城市（まち）案内」制作委員会
発行者	赤松　耕次
発行所	まちごとパブリッシング株式会社
	〒181-0013　東京都三鷹市下連雀4-4-36
	URL http://www.machigotopub.com/
発売元	株式会社デジタルパブリッシングサービス
	〒162-0812　東京都新宿区西五軒町11-13
	清水ビル3F
印刷・製本	株式会社デジタルパブリッシングサービス
	URL http://www.d-pub.co.jp/

MP267